Chante avec moi pour Noël

Illustrations et graphisme par
Isabelle Charbonneau
avec la collaboration d'Annie Cossette et Péo

Les 25 plus belles
chansons de Noël

D1466412

Petit papa Noël

Henri Alexandre Léon Martinet / Les Éditions Universal Musique

C'est la belle nuit de Noël
La neige étend son manteau blanc
Et les yeux levés vers le ciel
À genoux les petits enfants
Avant de fermer les paupières
Font une dernière prière

Petit papa Noël
Quand tu descendras du ciel
Avec des jouets par milliers
N'oublie pas mon petit soulier
Mais avant de partir
Il faudra bien te couvrir
Dehors tu vas avoir si froid
C'est un peu à cause de moi
Il me tarde tant que le jour se lève
Pour voir si tu m'as apporté
Tous les beaux joujoux
que je vois en rêve
Et que je t'ai commandés !

Petit papa Noël
Quand tu descendras du ciel
Avec des jouets par milliers
N'oublie pas mon petit soulier

Le marchand de sable est passé
Les enfants vont faire dodo
Et tu vas pouvoir commencer
Avec ta hotte sur le dos
Au son des cloches des églises
Ta distribution de surprises

Petit papa Noël
Quand tu descendras du ciel
Avec des jouets par milliers
N'oublie pas mon petit soulier
Si tu dois t'arrêter
Sur les toits du monde entier
Tout ça avant demain matin
Mets-toi vite, vite en chemin
Et quand tu seras sur ton beau nuage
Viens d'abord sur notre maison
Je n'ai pas été tous les jours très sage
Mais j'en demande pardon !

Petit papa Noël
Quand tu descendras du ciel
Avec des jouets par milliers
N'oublie pas mon petit soulier
Petit papa Noël...

Mon beau sapin

Traditionnel

Mon beau sapin, roi des forêts
Que j'aime ta verdure
Quand par l'hiver, bois et guérets
Sont dépouillés de leurs attraits
Mon beau sapin, roi des forêts
Tu gardes ta parure

Toi que Noël planta chez nous
Au Saint Anniversaire
Jolis sapins comme ils sont doux
Et tes bonbons et tes joujoux
Toi que Noël planta chez nous
Par les mains de ma mère

Mon beau sapin, tes verts sommets
Et leur fidèle ombrage
De la foi qui ne ment jamais
De la constance et de la paix
Mon beau sapin, tes verts sommets
M'offrent la douce image

Au royaume du bonhomme hiver

Traditionnel

Écoutez les clochettes
Du joyeux temps des fêtes
Annonçant la joie
De chaque cœur qui bat
Au royaume du Bonhomme Hiver

Sous la neige qui tombe
Le traîneau vagabonde
Semant tout autour
des chansons d'amour
Au royaume du Bonhomme Hiver

La voilà qui sourit sur la place
Son chapeau, sa canne et son foulard
Il semble nous dire d'un ton bonasse
« Ne voyez-vous donc pas
qu'il est tard ».

Il dit vrai tout de même
Près du feu, je t'emmène
Allons nous chauffer
Dans l'intimité
Au royaume du Bonhomme Hiver

Écoutez les clochettes
Du joyeux temps des fêtes
Annonçant la joie
De chaque cœur qui bat
Au royaume du Bonhomme Hiver

Le voilà qui sourit sur la place
Son chapeau, sa canne et son foulard
Il semble nous dire d'un ton bonasse
« Ne voyez-vous donc pas
qu'il est tard ».

Il dit vrai tout de même
Près du feu, je t'emmène
Allons nous chauffer
Dans l'intimité
Au royaume du
Bonhomme Hiver

Allons nous chauffer
Dans l'intimité
Au royaume du
Bonhomme Hiver

Le p'tit renne au nez rouge

J. Marks - Jacques Larue / St Nicholas Music Inc

On l'appelait Nez Rouge
Ah ! Comme il était mignon
Le p'tit renne au nez rouge
Rouge comme lumignon
Son p'tit nez faisait rire
Chacun s'en moquait beaucoup
On allait jusqu'à dire
Qu'il aimait prendre un p'tit coup

Une fée qui l'entendit
Pleurer dans le noir
Pour le consoler lui dit :
« Viens au paradis ce soir »
Comme un ange Nez Rouge
Tu conduiras dans le ciel
Avec ton p'tit nez rouge
Le chariot du Père Noël

Quand ses frères le virent
d'allure si leste
Suivre très digne les routes célestes
Devant ses ébats
Plus d'un renne resta baba

On l'appelait Nez Rouge
Ah ! Comme il était mignon
Le p'tit renne au nez rouge
Rouge comme un lumignon

Maintenant qu'il entraîne
Son char à travers les cieux
C'est lui le roi des rennes
Et son nez fait des envieux

Vous fillettes et garçons
Pour la grande nuit
Si vous savez vos leçons
Dès que sonnera minuit
Ce petit point qui bouge
Ainsi qu'une étoile au ciel
C'est le nez de Nez Rouge
Annonçant le Père Noël
Annonçant le Père Noël
Annonçant le Père Noël

Père Noël arrive ce soir

H. Gellespie - J.F. Coots / Leo Feist Inc.

J'ai vu dans la nuit, passer un traîneau
Et j'ai vu aussi ton grand ami
Père Noël arrive ce soir
Il allait vers toi dans la cheminée
Il allait vers toi pour y déposer
Des jouets dans ton bas ce soir

Et tu devras dormir
Sans te faire aucun souci
Même si tu n'en as pas envie
Tu devras rester au lit

J'ai vu dans la nuit, passer un traîneau
Et j'ai vu aussi ton grand ami
Père Noël arrive ce soir

Quand viendra le jour, tu te lèveras
Et tour à tour, tu ouvriras
Les cadeaux que tu verras

Tu vas t'amuser, tu vas rigoler
Mais il ne faudrait pas oublier
D'être sage toute l'année

Et tu devras dormir
Sans te faire aucun souci
Même si tu n'en as pas envie
Tu devras rester au lit

J'ai vu dans la nuit,
passer un traîneau
Et j'ai vu aussi
ton grand ami
Père Noël arrive ce soir
Ce soir, ce soir, ce soir...

Sainte nuit

Gruber Franz Xaver - Bail Armand /Les Éditions Musicales de la Bonne Chanson

Oh ! Nuit de paix, sainte nuit
Dans le ciel l'Astre luit
Dans les champs tout repose en paix
Mais soudain dans l'air pur et frais
Le brillant chœur des anges
Aux bergers apparaît

Oh ! Nuit de foi, sainte nuit
Les bergers sont instruits
Confiants dans la voix des cieux
Ils s'en vont adorer leur Dieu
Et Jésus en échange
Leur sourit, radieux

Oh ! Nuit d'amour, sainte nuit
Dans l'étable, aucun bruit
Sur la paille est couché l'Enfant
Que la Vierge endort en chantant
Il repose en ses langes
Son Jésus ravissant

Farandole

Traditionnel

Tombe tourne et tourbillonne
Fa la la la la la la la la
Douce et vive farandole, fa la la...
Neige de la nuit divine, fa la la...
Tombe, tourne et tourbillonne
Fa la la la la la la la la

Les étoiles chantent et brillent
Fa la la la la la la la la
Au firmament qui scintille, fa la la...
Un doux Sauveur nous est donné, fa la la...
Les étoiles chantent et brillent
Fa la la la la la la la la

14

Danser autour du sapin vert

J.Marks / St. Nicholas Music Inc.

Danser autour du vert sapin
En se frappant dans les mains
Danser autour du vert sapin
Et chanter jusqu'au matin
Lancer partout des serpentins
En reprenant le refrain
Et s'embrasser devant témoins
Sous le gui ou dans les coins

Tu auras un certain petit frisson dans le dos
En voyant le sapin décoré et rempli de cadeaux

Danser autour de vert sapin
En se frappant dans les mains
Et s'embrasser devant témoins
Sous le gui ou dans les coins

Tu auras un certain petit frisson dans le dos
En voyant le sapin décoré et rempli de cadeaux

Danser autour du vert sapin
En se frappant dans les mains
Danser autour du vert sapin
Et chanter jusqu'au matin

Quel est l'enfant ?

Traditionnel

Quel est l'enfant qui est né ce soir
Inconnu des grands de la terre ?
Quel est l'enfant qui est né ce soir
Que les pauvres ont voulu recevoir ?

Refrain
Il suffit d'un enfant ce soir
Pour unir le ciel et la terre
Il suffit d'un enfant ce soir
Pour changer notre vie en espoir

Quel est l'enfant qui est né ce soir
Pour changer la nuit en lumière ?
Quel est l'enfant qui est né ce soir
Tout joyeux comme un feu dans le noir ?

Refrain

Quel est l'enfant qui est né ce soir
Au-delà de toutes frontières ?
Quel est l'enfant qui est né ce soir
Sinon Dieu que je veux recevoir ?

Refrain

18

Les anges dans nos campagnes

Traditionnel

Les anges dans nos campagnes
Ont entonné l'hymne des cieux
Et l'écho de nos montagnes
Redit ce chant mélodieux :

Gloria, Gloria, Gloria, Gloria
In excelsis deo
Gloria, Gloria, Gloria, Gloria
In excelsis deo

Bergers pour qui cette fête ?
Quel est l'objet de tous ces chants ?
Quel vainqueur, quelle conquête
Mérite ces cris triomphants ?

Gloria, Gloria, Gloria, Gloria
In excelsis deo
Gloria, Gloria, Gloria, Gloria
In excelsis deo

Cherchons tous l'heureux village
Qui l'a vu naître sous ses toits
Offrons-lui le tendre hommage
Et de nos cœurs et de nos voix

Gloria, Gloria, Gloria, Gloria
In excelsis deo
Gloria, Gloria, Gloria, Gloria
In excelsis deo

20

21

J'ai vu petite maman

T. Connor / Regent Music Corp. (Version anglaise)

Moi, j'ai vu petite maman hier soir
En train d'embrasser le Père Noël
Ils étaient sous le gui
Et me croyaient endormi
Mais sans en avoir l'air
J'avais les deux yeux entr'ouverts

Ah ! Si papa était v'nu à passer
Je m'demande ce qu'il aurait pensé
Aurait-il trouvé naturel
Parce qu'il descend du ciel
Que maman embrasse le Père Noël

Moi, j'ai vu petite maman hier soir
En train d'embrasser le Père Noël
J'ai bien cherché pourquoi
Et je devinais, je crois
C'est parce qu'il m'avait apporté
De si beaux jouets

Aussi pour l'an prochain
J'ai bon espoir
Qu'il viendra encore à mon appel
Et de nouveau, je ferai semblant
De dormir profondément
Si maman embrasse le Père Noël

L'enfant au tambour

K.Davis/H. Onorati /H. Simeone /Mills Music Inc. V.O.

Sur la route, para pam pam pam
Petit tambour s'en va, para pam pam pam
Il sent son cœur qui bat, para pam pam pam
Au rythme de ses pas, para pam pam pam
Rapa pam pam, rapa pam pam
Oh! Petit tambour, para pam pam pam
Où vas-tu ?

Hier mon père, para pam pam pam
A suivi le tambour, para pam pam pam
Le tambour des soldats, para pam pam pam
Alors je vais au ciel, para pam pam pam
Rapa pam pam, rapa pam pam
Là je vais donner pour son retour
Mon tambour

Tous les anges, para pam pam pam
Ont pris leurs beaux tambours, para pam pam pam

Et l'enfant s'éveille para pam pam pam
Sur son tambour.

Noël des petits santons

Ackermans Hippolyte Jean François / SEMI Societe /Peer Music Canada Editions

Dans une boîte en carton
Sommeillent les petits santons
Le berger, le rémouleur
Et l'Enfant-Jésus rédempteur
Le ravi qui le vit
Est toujours ravi
Les moutons en coton
Sont serrés au fond
Un soir alors
Paraît l'étoile d'or
Et tous les petits santons
Quittent la boîte de carton
Naïvement, dévotement
Ils vont à Dieu porter leurs vœux
Et leur chant est touchant
Noël ! Joyeux Noël !
Noël joyeux de la Provence.

Le berger comme autrefois
Montre le chemin aux trois rois
Et ces rois ont pour suivants
Des chameaux chargés de présents
Leurs manteaux sont très beaux
Dorés au pinceau
Et ils ont le menton
Noirci au charbon

De grand matin
J'ai vu passer leur train
Ils traînaient leurs pauvres pieds
Sur les gros rochers de papier
Naïvement, dévotement
Ils vont à Dieu porter leurs vœux
Et leur chant est touchant
Noël ! Joyeux Noël !
Noël joyeux de la Provence.

Dans l'étable de bois blanc
Il est là le divin Enfant
Entre le bœuf aux poils roux
Et le petit âne à l'œil doux
Et l'enfant vagissant
Murmure en dormant:
Les jaloux sont des fous
Humains, aimez-vous !
Mais au matin
Joyeux Noël prend fin
Alors les petits santons
Regagnent la boîte en carton
Naïvement, dévotement
Ils dormiront dans du coton
En rêvant du doux chant
Noël ! Joyeux Noël !
Noël joyeux de la Provence.

Dormez chers petits santons
Dans votre boîte en carton
Noël ! Noël ! Noël !

D'où viens-tu bergère ?

Traditionnel

D'où viens-tu bergère
D'où viens-tu ? (bis)
Je viens de l'étable
De m'y promener
J'ai vu un miracle
Ce soir arriver

Qu'as-tu vu bergère
Qu'as-tu vu ? (bis)
J'ai vu dans la crèche
Un petit enfant
Sur la paille fraîche
Mis bien tendrement

Rien de plus bergère
Rien de plus ? (bis)
Sainte Marie sa mère
Sous un humble toit
Saint Joseph son père
Qui tremble de froid

Rien de plus bergère
Rien de plus ? (bis)
Y'a le bœuf et l'âne
Qui sont par devant
Avec leur haleine
Réchauffent l'enfant

Rien de plus bergère
Rien de plus ? (bis)
Y'a trois petits anges
Descendus du ciel
Chantant les louanges
Du Père Éternel

C'est Noël dans mon village

Jean Grimaldi / ABC Melody Publ.

C'est Noël dans mon village
Le Père Noël est là
Et pour tous les enfants sages
Les jouets ne manquent pas
Les poupées au fin corsage
Demandent au Père Noël
Une maman bonne et sage
Qui prendra bien soin d'elles

Tous les soldats de plomb
Demandent avec raison
D'évider les cheminées
Qui seraient trop surchauffées

C'est Noël dans mon village
Tous les polichinelles
Ont cessé leur babillage
Pour chanter Joyeux Noël
Le petit train mécanique
Sortant de son tunnel
Éclairant d'un air magique
Les rennes du Père Noël

Tous les jouets sont prêts
Dans leurs plus beaux attraits
Il faudra aller les porter
Aux enfants du monde entier

C'est Noël dans mon village
Le Père Noël s'en vient
Visiter les enfants sages
Aux pays des canadiens.

Il est né le divin enfant

Traditionnel

Refrain
Il est né le divin enfant
Jouez hautbois, résonnez musette
Il est né le divin enfant
Chantons tous son avènement

Depuis plus de quatre mille ans
Nous le promettaient les prophètes
Depuis plus de quatre mille ans
Nous attendions cet heureux temps

Refrain

Ah ! Qu'il est beau qu'il est charmant
Ah ! Que ces grâces sont parfaites
Ah ! Qu'il est beau qu'il est charmant
Qu'il est doux ce divin enfant

Refrain

Une fleur m'a dit

Akepsimas Joseph Michel Jean / Retif Marie-Annick/ Studio SM

J'ai trouvé dans la nuit une fleur en papier
Sur la neige endormie, et je l'ai rechauffée.

Refrain

Une fleur m'a dit : c'est Noël aujourd'hui,
Ton sapin fleurit, c'est Noël.
Une fleur m'a dit : c'est Noël aujourd'hui,
Ton sapin fleurit, c'est Noël.

Elle avait les yeux gris des étoiles blessées
Le visage meurtri, les cheveux tout mouillés.

Refrain

Je l'ai mise à l'abri pour la faire sécher
Au milieu de la nuit, elle s'est mise à chanter.

Refrain

Je cherchais un ami et la fleur m'a donné
Ses pétales de pluie et son cœur en papier

Refrain

34

Noël c'est l'amour

Contet Henri Alexandre / Glanzberg Norbert / Bloc-Notes Editions Inc.

Refrain
Noël c'est l'amour
Viens chanter toi mon frère
Noël c'est l'amour
C'est un cœur éternel

Du temps de ma mère
Sa voix familière
Chantait douce et claire
Un enfant est né
La voix de ma mère
Amour et prière
La voix de ma mère
Qui m'a tant donné

Des lumières dans la neige
Mille étoiles du berger
Et des hommes en cortège
Vont chanter la joie d'aimer

Noël c'est l'amour
Dans les yeux de l'enfance
Noël c'est l'amour
Le plus beau le plus grand

Un monde commence
D'un peu d'espérance
D'un ange qui danse
Auprès d'un enfant
(Au refrain)

Reviens toi mon frère
Et vois la lumière
La nuit de lumière
Qui descend du ciel
Et moi sur la terre
J'entends douce et claire
La voix de ma mère
Qui chante Noël

36

Voici le père Noël

Autry Gene / Haldelman Oakley / Gene Autry's Western Music Pubg Co

Voici le Père Noël
Voici le Père Noël
Qui revient parmi nous
Qui m'apporte mille sortes
De présents, de joujoux
C'est ce soir que les petits
Et même les grands
Verront leurs désirs se changer
En plaisirs attrayants

Voici le Père Noël
Voici le Père Noël
Qui revient parmi nous
Les cloches sonnent, carillonnent
Partout alentour
On entend des chants joyeux
Des voix douces d'enfants
Qui chantent l'air radieux
Et le cœur content

Voici le Père Noël
Voici le Père Noël
Qui revient parmi nous
Les plus riches
Il s'en fiche
Il nous aime tous
Ce qui compte à ses yeux
C'est de faire des heureux
Il aime surtout les enfants
Qui sont obéissants

Voici le Père Noël
Voici le Père Noël
Qui revient parmi nous

Vive le vent

Blanche Francis Jean / Marbot Rolf /Peermusic Canada Edition /Semi Societe

Vive le vent, vive le vent
Vive le vent d'hiver
Qui s'en va sifflant, soufflant
Dans les grands sapins verts, Oh !
Vive le temps, vive le temps
Vive le temps d'hiver
Boules de neige et Jour de l'An
Et bonne année grand-mère

Sur le long chemin
Tout blanc de neige blanche
Un vieux monsieur s'avance
Avec sa canne dans la main
Et tout là-haut le vent
Qui siffle dans les branches
Lui souffle la romance
Qu'il chantait, petit enfant, Oh !

Vive le vent, vive le vent
Vive le vent d'hiver
Qui s'en va sifflant, soufflant
Dans les grands sapins verts, Oh !
Vive le temps, vive le temps
Vive le temps d'hiver
Boules de neige et Jour de l'An
Et bonne année grand-mère

Joyeux, joyeux Noël !
Aux milles bougies
Quand chantent vers le ciel
Les cloches de la nuit ! Oh !
Vive le vent, vive le vent
Vive le vent d'hiver
Qui rapporte aux vieux enfants
Leurs souvenirs d'hier
Qui rapporte aux vieux enfants
Leurs souvenirs d'hier

40

Le bas de Noël

Traditionnel

Un petit bas grison
Pendait sur le foyer
Il était si mignon
Qu'il semblait s'en aller
Le vieux Père Noël
En le voyant sourire
Et de nombreux présents
Viens vite le remplir

Les noëls sont passés
Le mignon a grandi
Et près de lui on voit
Un autre plus petit
Le vieux Père Noël
En les voyant sourire
En songeant qu'il est bon
Que grandissent les nids

Cinq noëls bien joyeux
Sont passés au foyer
Et cinq bas bien gentils
Sont remplis à craquer

Le vieux Père Noël
Parut des plus surpris
D'en voir trois différents
Et tout près deux petits

Dix noëls bienheureux
Ont forcé le vieillard
À remplir six bas bleus
Et un rouge gaillard
Et le Père Noël
Laissant en souriant
Aux parents des enfants
Ses plus beaux compliments
Aux parents des enfants
Ses plus beaux compliments

Une poupée pour Noël

Couet Jeanne / Regan Russ / Ryterband Romain / L'industrie Musicale Enr.

Je veux pour Noël une poupée,
Pour Noël, pour Noël
Je veux pour Noël une poupée
S'il te plaît essaie de me la donner

J'écris une lettre au bon Père Noël
Bien sûr il va se rappeler
Que je veux une poupée
Aux grands yeux bleus
Poupée, ma poupée
Qu'on s'aimera nous deux

Oui, je veux pour Noël une poupée,
Pour Noël, pour Noël
Je veux pour Noël une poupée
S'il te plaît, mon bon Père Noël

Si ma poupée me dit « Maman »
Je la bercerai doucement
Nous deux quand nous pouvons danser
Ensemble nous allons jouer
Poupée, tu seras bien à moi
Jamais je n'irai loin de toi
Et ma journée sera plus gaie
Comme un jour de Noël

Donne-moi pour Noël une poupée
Pour Noël, pour Noël
Donne-moi pour Noël une poupée
Je te supplie de me l'apporter

J'écris une lettre au bon Père Noël
Bien sûr il va sa rappeler
Que je veux une poupée qui me parlera,
Me sourira, marchera, m'aimera

Oui, donne-moi pour Noël une poupée
Pour Noël, pour Noël
Mais Père Noël souviens-toi
De toutes les petites filles comme moi
(bis)

La neige sous mes pas

Lucien Hétu

Drue, la neige tombe
Effaçant mes pas
Dans la nuit, mon ombre
Me suit pas à pas
Je poursuis ma route
Le nez dans le vent
L'esprit en déroute
Et le cœur content

J 'écoute chanter l'âme de la terre
Qui semble pleurer, pleurer solitaire
Si un jour d'hiver
Tu as du chagrin
Marcheur solitaire poursuit ton chemin

Drue, la neige tombe
Effaçant mes pas
Dans la nuit, mon ombre
Me suit pas à pas
Je poursuis ma route
Le nez dans le vent
L'esprit en déroute
Et le cœur content

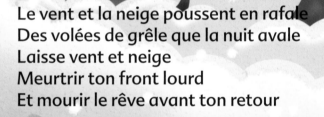

Le vent et la neige poussent en rafale
Des volées de grêle que la nuit avale
Laisse vent et neige
Meurtrir ton front lourd
Et mourir le rêve avant ton retour

Drue, la neige tombe
Effaçant mes pas
Dans la nuit, mon ombre
Me suit pas à pas
Je poursuis ma route
Le nez dans le vent
L'esprit en déroute
Et le cœur content
Et le cœur content

Dans cette étable

Traditionnel

Dans cette étable, que Jésus est charmant !
Qu'il est aimable dans son abaissement !
Que d'attraits à la fois, tous les palais des rois
N'ont rien de comparables aux beautés que je vois
Dans cette étable !

Que sa puissance parait bien en ce jour
Malgré l'enfance, de ce Dieu plein d'amour
L'esclave racheté, et tout l'enfer dompté,
Font voir qu'à sa naissance, rien n'est si redouté
Que sa puissance !

Heureux mystère, Jésus souffrant pour nous
D'un Dieu sévère apaise le courroux.
Pour sauver le pécheur, il naît dans la douleur
Et sa bonté de Père éclipse sa grandeur
Heureux mystère !

Les cadeaux de Noël

Traditionnel

À la Noël de mes 5 ans
J'avais reçu bien des joujoux
Une poupée qui crie « maman »
Et un chaton qui dit « miaou »
À mes parents que j'aimais tant
J'offris mon amour en cadeau
Et grimpant sur le p'tit banc
Je m'suis mise à jouer au piano...

Refrain

Un petit air que j'avais inventé
En écoutant un chant d'oiseau rieur
Un petit air que j'avais composé
En écoutant le tic tac de mon cœur

Mais un enfant pleure bientôt
Quand il oublie la mélodie
Et mes doigts sur le grand piano
et tes petits bien trop petits

Refrain

Pour consoler mon chagrin
Maman m'a serré sur son cœur
Et ses pleurs se mêlaient aux miens

Des larmes de joies et de bonheur
Elle m'a dit « Ne pleure pas chérie,
Car ton cadeau sera toujours
Le plus beau de toute ma vie,
Le plus beau des cadeaux d'amour ».

Refrain

Sommaire

Joyeux Noël et bonne année !

Interprètes

Chantal Isabel
Chansons des pages 2-10-16-24-38-42-44-46 et une participation à la page 50
Julie Dassylva
Chansons des pages 4-6-22-28
Richard Savignac
Chansons des pages 8-40
La Chorale des Écoles Sacré-Cœur et Mitchell-Montcalm
Chansons des pages 12-18-20-26-34-36
Mélody Lefebvre
Chanson de la page 14
Guillaume Bégin, Mélody Lefebvre, Joanie et Mylaine Schanck
Chansons des pages 30-32-50
Mélody et Ketsya Lefebvre
Chanson de la page 48

ISBN : 978-2-9811186-2-2
Imprimé et assemblé en Chine
© 2009 Distribution CPM inc. & POM Production Oliver Music

Aucune édition, impression, adaptation ou reproduction de ce texte ou de ces images, par quelque procédé que ce soit, tant électronique que mécanique, en particulier par photocopie ou microfilm, ne peut être faite sans l'autorisation écrite de l'éditeur.